Conforme à la loi n° 49-956 du 16 juillet 1949 sur les publications destinées à la jeunesse.
© 2015, De La Martinière Jeunesse, une marque de La Martinière Groupe, Paris.
ISBN : 978-2-7324-6914-0
Dépôt légal : juin 2015

Achevé d'imprimer en France en mai 2015 par Pollina - L70762

www.lamartinierejeunesse.fr
www.lamartinieregroupe.com

Philippe de Kemmeter

papa est connecté

De La Martinière
Jeunesse

Le pingouin avec l'ordinateur, c'est mon papa.

Dès le matin, papa lit son journal virtuel,
consulte la météo et passe beaucoup de temps avec ses amis virtuels.
Ces derniers temps, maman est en froid avec papa.

Sur Icebook, papa a 532 amis.
– Tiens, regarde mon nouvel ami.
Il a été en vacances au pôle Nord cet été.
Quel veinard !
– C'est où le pôle Nord, papa ?
Quand il est sur son ordinateur,
papa ne me répond pas…

LEMPEREUR

PISTACHE

LAGLASS

COOLPACK

IGLODO

D-LUGE

GLISS 04

TEMPEST

ESKIMO

PAUL R.

ANGELO

FOU-MANCHOT

PINGOINFRE

BRIZGLASS

FRIZZ

TIMIDO

INCOGNITO

GLAGLA 65

ICEBERG

FISH-FISH

GLASSON

NANOUK

BANKYZ

CAPTAIN IGLOO

MANCHAUD

LA MOUFLE

NGAZIUS

PONK

PUNKGOUIN

FRAUZEN

Voici quelques-uns des amis virtuels de papa.

Même le soir, papa reste connecté.

Il n'y a que la nuit où mon papa n'est pas connecté. Quoique…

Après le petit-déjeuner, papa part au travail et je fais un bout de chemin avec lui.

Quand il rentre, papa ne pense qu'à une chose : surfer sur son ordinateur.

Elle est loin l'époque où j'avais un papa pour de vrai. Maman n'en peut plus :-((

Heureusement, dans le quartier j'ai des copains sympas :-)))

Mais ce matin, c'est le DRAME !
Papa est hors de lui : il n'y a plus de connexion,
il ne peut plus surfer sur Internet !

Papa se déplace partout dans
l'igloo avec son ordinateur. Rien.
Il fait de même à l'extérieur.
Toujours rien.

Maman est très étonnée
de voir papa dans cet état-là.
Je crois qu'intérieurement elle
est contente…

Pour trouver une connexion, papa va
de plus en plus loin sur la banquise.
Maman et moi décidons de le suivre.

Soudain, on entend un grand bruit.
Le bruit de la glace qui se détache de la banquise…

Et voilà papa qui part à la dérive !

En temps normal, papa n'aurait pas hésité
à sauter pour rejoindre le rivage.
Mais papa ne veut pas abandonner son ordinateur !

Pendant ce temps

Si seulement je pouvais contacter mes 532 amis...

Sur la banquise, la nuit est froide mais les voisins nous apportent leur soutien. Et de quoi nous réchauffer ! N'empêche, maman et moi sommes très inquiets.

Au petit matin, on grelotte. Il y a du brouillard. Et soudain…

Là-bas !

C'est papa !!!
Sur un morceau de banquise poussé par un ours polaire, papa est frigorifié.

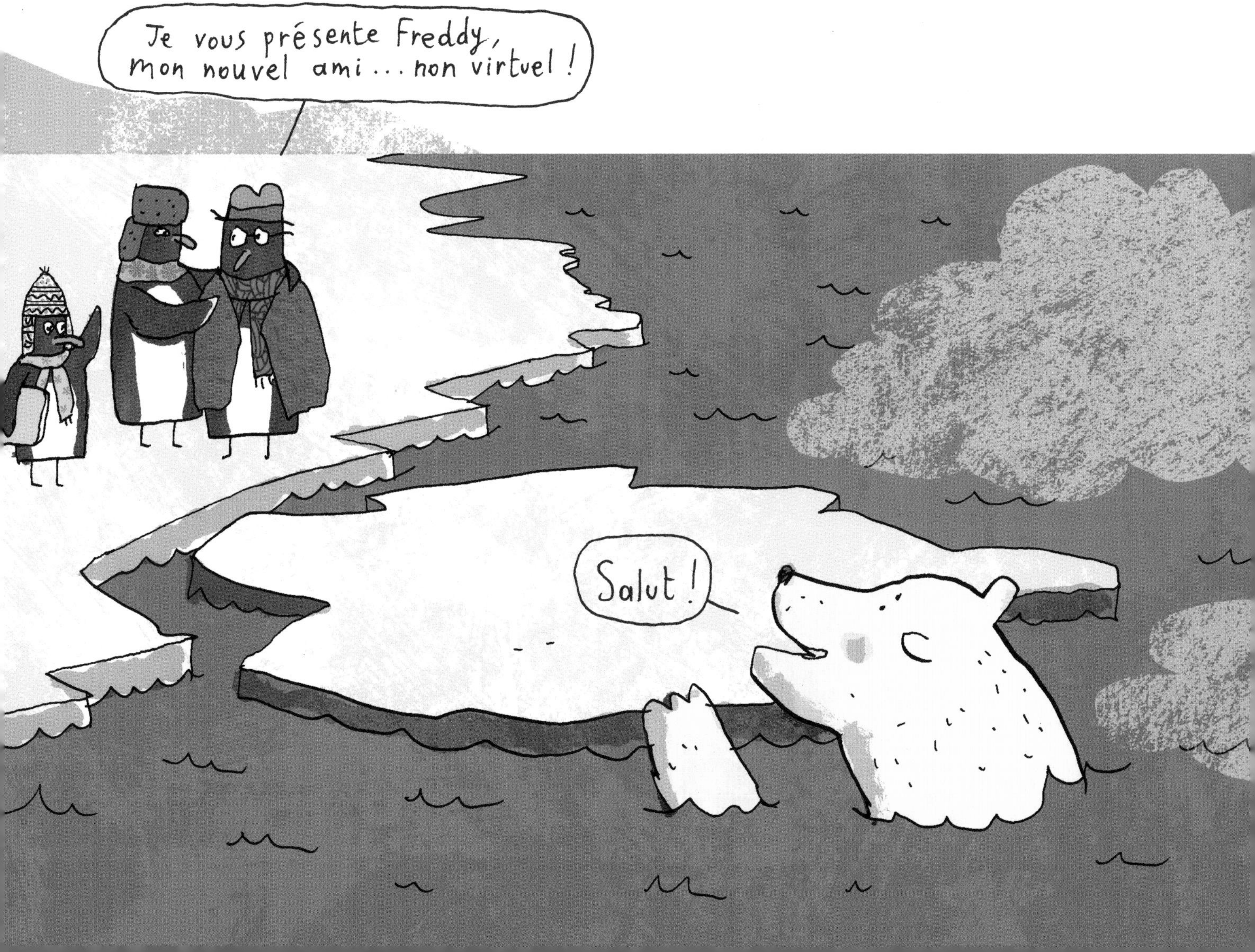
Je vous présente Freddy, mon nouvel ami... non virtuel !
Salut !

De retour à la maison,
papa fait une drôle de tête :
maintenant son ordinateur
ne marche plus !
Alors papa nous dit :
– Venez, on va dehors !

Chérie, peux-tu tenir mes lunettes ?

Et papa se met à surfer de plus belle !
Grâce à son ordinateur,
papa s'est reconnecté à la réalité.

Et pour une fois, l'ordinateur
sert à toute la famille !

Avec le smartphone de papa, ça devrait le faire aussi !

Surfer sur son ordi,
c'est la nouvelle mode ici,
et c'est pas près de s'arrêter.
Même pas besoin de réseau…